생거진천 산신령

귀농 시인의 희수를 맞아

귀농 시인의 희수를 맞아
인 쇄 : 2023년 4월 19일 초판 1쇄
발 행 : 2023년 4월 26일 초판 2쇄
지은이 : 오석원
펴낸이 : 오태영
출판사 : 진달래
신고 번호 : 제25100-2020-000085호
신고 일자 : 2020.10.29
주 소 : 서울시 구로구 부일로 985, 101호
전 화 : 02-2688-1561
팩 스 : 0504-200-1561
이메일 : 5morning@naver.com
인쇄소 : TECH D & P(마포구)

값 : 10,000원
ISBN : 979-11-91643-87-9(03810)

생거진천 산신령

귀농 시인의 희수를 맞아

오석원 시집

진달래 출판사

시인에 대하여

시인 오석원은 1947년 전남 강진에서 태어나 올해 희수를 맞았다.
전남 장흥중과 광주일고를 나온 뒤 전남대에서 수학하였고, 국세청 공무원으로 30년 넘게 봉직(奉職)하고 명예퇴직하여 20년이 넘는 세월을 **생거진천(生居鎮川)** 농다리 길에서 귀농 시인으로 살고 있다.
매일 두세 시간씩 맑고 깨끗한 공기를 마시며 걷기를 한 뒤 그날의 감상을 적고 있는데 한 마디 한 마디가 그대로 시다.
보고 느낀 그대로, 삶에서 길어 올린 따뜻한 사랑이 담긴 시어(詩語)와 잔잔한 리듬이 독자의 마음을 깨끗하게 씻어 준다.
코로나19를 거치며 4권의 시집을 내고 이제 그 터널을 마감하면서 계속되는 삶의 지혜와 연륜이 묻어나는 시인(詩人)의 목소리가 오늘을 사는 우리에게 새로운 희망과 조용한 위로를 준다. -------오태영(작가)

차 례

들어가는 말

발버둥 치며 살다 보면
망가지고 찢기고 상처투성이로 남겨진 채,
가는 길에 고생깨나 하면서 떠나는
많은 사람을 보게 된다.

직장생활은 상하 관계며 동료 간의 부딪힘
속에
스스로 발전을 꾀하다 보면
많은 스트레스가 쌓일 수밖에 없고,

은퇴할 때쯤엔
고민할 만큼의 건강상태로
성인병을 품게 되는 주변 사람이
너무나 많다.

나 또한
정년을 몇 년 앞둔 시점에서
혈압 당뇨에 고지혈증으로
몸이 많이 망가진 모습은
환갑이라도 지내게 될 것인지?

걱정하는 순간에 이르게 된다.
우연한 기회에 진천 농다리 길 산속에
집을 마련해두고 있어서
명예퇴직으로 직장을 마감하고,
시골 생활을 시작하게 되었다.

집 뒤로 산이 연결되어 산을 타고
걷는 것으로 건강을 찾고자 했으며
먹을거리는 내 땅에서 직접 키워
스스로 해결하며 맑은 곳에서 살다 보니,
건강이 회복되어감을 느낄 수가 있었다.

농다리 둘레에 초평호수가 있고
금강으로 흘러가는 미호천이 이어진 곳에는
양천산 줄기의
은여울 산이 위치한다.

하루가 시작되면 특별한 볼일이 없으면
애견 율무와 의무적으로
수목원을 지나 오솔길을 오른다.

봉우리 2개를 넘어서 초평호를
바라보면서 되돌아 내려오면

2시간에 만 보 정도를 걷게 된다.

7~8km의 산오름을 날마다 하다 보니
건강이 크게 회복되고
마지막을 향해 가는 길목에서
치매를 차단하고자 일상을 글로 남기다 보니
이 책을 남기게 된다.

건강은 건강할 때 스스로 노력하면 지켜낼
수가 있다는 걸 내 몸이 증명한다.
60을 목표로 한 시골에서의 내 생활이
어느새 77세 희수(喜壽)다.

산에서 움직이며 날마다 걷는 모습,
건강을 지켜내는 은퇴자의 모습이
아닐까 생각한다.
움직이는 내 모습이 생활 시인의
영광을 나에게 선물한다.

많이 움직여야 100세를 보증한다.
은퇴 후 생활은 물 맑고 공기 좋은
시골 조용한 곳에서 자연과 함께….

2023년 4월 귀농 시인 오석원

Part 1

새해가

오고 있어요

아니 벌써 77

2023년 01월 01일
계묘(癸卯)년
검은토끼의 신년이 시작된다.

코로나19는
여전히 시그라들지 않고
요즘은 독감까지 나타나서
고생하는 모습이
주변 여기저기에 나타난다.

보신각 종소리도
몇년만에 울렸지만
세상살이는
더 더욱 힘들어진거 같다.

빚을 얻어 집사고
빚으로 운영하는 개인
사업체는
치솟은 금리로 이자부담에
골머리를 앓는다.

신년사를
낭독하고 떠나는 대통령
서민들 삶을 보살피는
구체적인 내용은 아예없다.

나라살림의 틀만 제시하니
지켜질지 안지키고 말지
해도그만 안해도 그만인
그런 말씀으로만
들린다.

내가사는 세상은
오직 내힘만 필요하다.
노동 교육 연금개혁으로
국가의 틀을 잡는것도
나와는 무관한 그런 소리로만
들려온다.

넌
네 건강지키고
아끼고 살피면서
오직 오늘만을 바라보며
사는것 뿐이다.

손자 손녀가 성장하여
금년말이면
대학생이 나타난다.

고등학생 중학생으로
성장되며 모습이 어른스럽다.

새해들어 나이셈법을
만나이 셈법을 적용 한다지만
엄마뱃속에서 10개월은
내생명이 아니란 셈법이다.

태어나며 2살되는
셈법으로
나잇살을 챙겨오며
오늘 아침에 나는 칠땅이다.
아니벌써 77...
세월참 빠르기도 하다.

신년의 각오
오늘만 생각하며
다가오는 내일은 내일가서
생각하자...~~^^

동해의 푸른물결에
정동진 일출이 시작되고
서해의 연평도에
정서진 해넘이가 시작된다.

자연은 스스로를
헤쳐가며

집주변 미호강이 끊임없이
흘러내려

신 수도권으로 둔갑한
세종에서 금강으로
나타날것이다.
희망찬 한해이길 기원한다.

신년들어

처음걷는 미호강 주변이다.
내린 눈이 여기저기
길위를 하얗게 덮고있고
녹은곳은 꽁꽁얼어 미끄럽다.

청주에서 왔다는 분
다리밑에서 족두리로
고기를 잡는다.
망치로 두들기며 얼음을깨고
장화신고 밀어대니

작은붕어및 피래미가
하얗게 떠오른다.
먹겠느냐 여쭸더니
어린시절이 그리워서
시골냇가로 바람쐬러 왔단다.

미호천으로 불리던곳이
미호강으로 바뀌고
초평저수지가 초평호로 바뀐체
진천이 충북의

중심지로 바뀌어가니

생거진천으로 돌아설거같다.
주변에 크고작은 공장들이
쉬지않고 들어서긴 하지만
아직은 살기에 쾌적하고
자연재해가 쉽게 발생하질
않는다.

바다에서 멀리떨어진
내륙깊숙한 곳
충북이...
태풍이나 장마 더위등
자연재해로 부터
조금은 안정적인듯싶다.

집값이 너무올라
세금에 짓밟힌 국민들이
정권을 바꾸더니
집값이 너무빠져
예전의 그시절로 모든
제도가 바뀌어가는 형국이다.

임대사업자 부활
대출규제로 미분양
아파트의 분양유도...
치솟는 물가에 과중한

가계부담의 증가

예측 가능한
좀더 확실한 나라운영이
되어갔으면...하고
조용히 기원한다.
너무나 뒤죽박죽이다.

변하지 않는것은
걷고있는 내모습 뿐이다.
오늘도
11,074보 걸어서 8.62km를
확보한다.

명절이 다가오니
조용히 시골을 가고싶다.

미세먼지가 하늘을

거의 가린다.
예보가 있더니 온통
뿌연 하늘이다.

오랫만에 세종엘 왔더니
옛날과는 달리
초등학교 중학교 졸업을
년말 년초에 진행한다.

초등학교 졸업식이
12월31일이더니
중학교는 오늘 졸업식이다.

입학식까지는
아예 학생이 아닌
일반인으로 졸업생들이
움직일성 싶다.

3월초까지는 계속해서
방학이고
학기말 학기초가 아예

수업과는 연결되지 않는
그런 모습이다.

공주를 바라보며
미세먼지 가득찬 금강변을
움직여보니
맑은하늘이 그리울뿐이다.

웅크리고 서성이던 실내를
벗어나니
그래도 바깥공기속에서
걸으면서 온몸이 꿈틀대니
괜찮은거 같다.

영상온도를 가리키지만
겨울은 겨울이다.
장갑끼고 모자 둘러쓰고
호주머니에
깊이 손꼽고 걷는
내 모습이다.

9,065보 걸어서
집에도착되니 7.25km가
확보된다.
어두운...밤이로군.

청자식당

고향길에 내려서면
거의 들려오던 바지락회
전문식당인 강진 칠량의
소문난 식당이다.

면소재지 한쪽에서
매일새벽에
칠량 바닷가에서 긁어올린
싱싱한 바지락이
그렇게도 맛좋은것은
먹어본 사람만 표현이 가능하다.

구정이 임박해서
고향산소에 계시는
부모님과 조상님들을
뵙느라 토요일 오후시간
큰아들과 강진에 내려섰다.

미세먼지 뿌옇게끼어
산자락이 거의 안개속에
갇힌 모습이다.

환경오염이 지구의 생태계를
뒤틀고있는 모습같다.

바지락 회덥밥을
배불리 먹고 포근한 상태로
식당을 나서니
둥그런 보름달이 맑게보인다.
미세먼지가 걷힌모습이다.

산소에서
아들과 함께 엎드려
많은걸 주문했다.
어려운 세상 슬기롭게
헤쳐나가는 힘을...부여해달라
부탁드리고 나선다.

도와 주실것으로
굳게 믿어본다.

강진은

시인 김윤식의 출생지다.
영랑시인의 유명도가
강진하면 영랑이 떠오를만큼
영랑의 아호는 유명하다.

고향 강진에 들리게되면
남도지방의 먹거리가
수산시장으로 제법 규모있는
김윤식의 아호로 상호를 둔
영랑 수산을 두리번
거리게된다.

오늘도 영랑수산에 들려
낙지와 매생이를 살피니
싱싱하고 맛있어 보여
박스채주문 차에싣고만다.

꼭 다녀오는 곳
처갓집 가족묘에 들려
명절인사를 마치고
올라오는길에 천호성지

부활성당에서 ..,묵상하며
나를 돌아보고 나왔다.

명절주변이라
봉안 경당에 출입하는
방문객이 눈에띄게 많다.
조상을 찾아보는
자손들의 마음을 읽을수가있다.

깨끗하고 정숙한
천호산 기슭의 천호성지가
너무 멋있다는
아들의 칭찬에
내기분이 으쓱해진다.

700km가 넘는
장거리 운행을 안전하게
마무리해준
아들 녀석에게
너무 고마움을 느꼈다.

내가 해도 되는데...
나이가 운전대 잡는데 신경 쓰이는지
아빠의 운전을 막아선다.

봄은 다시 찾아오는데...
세월을 꺾을수는 없는가보다.

파란 하늘 짙푸른 강물

소두머니 주변의 삼각지를
걷노라니
맑고 깨끗한 자연이 보인다.

온통 잿빛이던 공기는
모두 가라앉아 저멀리
산등성이가 깨끗한 산등으로
아름답게 보인다.

율무를 앞세우고
미호강 주변을 서성이다보니
하얀눈이 그대로 보이는곳도
이따금씩 나타나지만

포근한 날씨덕에
미호강 은여울교밑에
두껍게 얼어있던
스케이트장은 빙판이 사라지고
출렁이는 물결만 보인다.
자연의 힘이 이렇게도 무섭다.

강위의 파란 하늘속으로
청둥 오리떼가
줄지어 움직이고
백로의 하얀 날개짓도
주변을 여유롭게 꾸며준다.

움직이는 사람이라곤
오직 나뿐이니...
율무가 나만 살피며
재롱 부린다.
영역표시 하느라 몹씨도
바쁘다.

참새라도 숲속에 보이면
쏜살같이 달려가지만
참새는 날잡아봐라...
외치면서 하늘로 치솟는다

율무 넌
늘 그랬으니 ...
나혼자 피식 웃고만다.
8,019보 6.19km
오랫만에 걷게된다.
개운하다.

구름속에 가려진 해

아름다운 모습의 하얀구름
조화롭게 움직이는 곳
세종을 가로지르는
30번 고속도로변 다리모습이다

날씨는 매섭지 않으나
차가운 맛은
겨울 날씨를 알린듯싶다.
단단히 동여메고
두텁게 끼어입은 옷차림이

걷고있는 다른 사람들과
흡사함은
똑같은 마음으로 걷는
운동하는 사람들 모습이다.

앙상한 나뭇가지 사이로
검은 구름 하얀 구름에
이따금씩 햇살까지
아른 거린다.

공주쪽으로 계속걸어
회전하는 그곳까지
힘차게 걷다보니
오랫만에 운동하는 내모습이
그려진다.

설날이 임박해서인지
여기저기 재래시장이며
이마트 주변에 서성이는
사람들이 눈에 많이 보인다.

설명절
아름다운 우리의 명절
세뱃돈에 희망거는 어린백성...
용돈을 은근히 기다리는
나이든 백성...

대한(大寒)추위가 임박해서
온돌방에 불깨나 떼야만
떨지않을 시골집이...거처이니,
아파트를 선호하는 도시민과는
달라도 많이 다른듯싶다.

오는 길목 강변 갈대밭
2마리가 속도내며 ...
고라니 한쌍이
강쪽으로 뛰어간다.

카메라에 담지못해 아쉽다.

세종에서 이따금 보게되는
자연속의 아름다움이다.

11,852보 9.51km가 표시되니
진천에서의 오전움직임
걸음걸이로 포함된 거리다.

모든것이 하얗다

밝은 세상이 찾아온듯
보이는 모든것...
산 들 지붕 도로 하얗게
변해가니 새로운 세상인듯
밝다.

집에 틀어박혀
바깥을 내려다보며
눈이 그칠시간을 기다리나
아침부터 오후 늦은시간까지
쉬지않고 내린다.

율무의 성화에 밖으로
나섰더니
재빠르게 눈위를
뛰어가는 율무다.

설명절 추위와는 사뭇
다르게
추운 날씨는 풀린듯하나
눈위에서의 공기는

그래도 차갑다.

무량사까지 뚜벅뚜벅
눈위를 걸어가며
여기저기 눈꽃핀 모습을
감상하며 일정을 담아둔다.

금년 겨울눈이
이것으로
마지막일수도 있다.

어젯밤엔
서울은 충청권보다
훨씬 추운듯
수도관이 동파되었다고
당황스런 전화가
···에게서 걸려온다.

밤중에 대책을 세울수도...
없으니
스스로 응급처치 하도록
지시하고
날 밝기를 기다린다.

싱크대에서 물을 사용하고
변기에 물을 내리며
불편없이 사는...

우리들 모습이나,

합선이나 동파등
갑작스레 사연이 발생하면
순간적으로 당황스럽고
모든것이 답답해진다.

차분히 대응하고
그날 그날을 대비하며
준비하는 자세가
세상사는데는 꼭 필요하다.

자연환경이 오염되고
기후변화를 느끼며사는 요즘
삼한사온이며
사계절이 순서있게 변화되는
아름다운 그시절로 ...
되돌아 가고싶다.

깨끗한 들판에서
숨 한번 거창하게 쉬면서
율무와 즐기는
내모습이
행복한건 아닐까싶다.

뽀드득 뽀드득

육중한 내몸에 부딪히는
자연의 울부짖음...
미쳐 녹지못해 마당에서
버티던 하얀눈의
신음소리다.

서울떠난 님대신에
율무의 도움이가 된
시골노인
내모습을 그려본다.

고구마 구워놓고
마당을 돌고돌아
무량사로 향하지만...
어쩐지 쓸쓸한 내모습에
바로 뒤돌아서고 만다.

독거노인의 삶이
이런 모습이겠구나...
조용히 생각해본다.
잘 살아야한다. 행복해야한다.

스스로를 다짐하며...

구워진 고구마에
내눈을 맞춘다.
잘 익은 고구마 내음이
내 코를 자극해온다.

현수막이 펄럭인다

사진까지 게시하며
조합원 여러분...
새해 복많이 받으시란다.

집앞 사거리에
현수막을 걸면서
오고가는 사람들이
모두 보면서 지나는데

조합원 여러분에게만
인사한다면
비 조합원은 현수막을
쳐다보지 말것인가..?

농협 축협 산림조합이
조합장을 뽑는시기가
임박해온듯...
선거철만되면 얼굴내미는,
낯익은 모습이다.

고향에 친구 한 명도

연임으로 임기를 채우더니
나이가 출마를 멈춘듯 싶다,

우리나이는 선출직도
임명직도 취직도 끝이니
봉사하는 삶으로 소일할수밖에
없는듯 싶다.

걷고 생각하고 움직이면서
율무와 지낸다.
눈을보면 뒹구는 율무를
보면서.
단순한 네모습이 정답이다.

눈쌓인 마당을 보니

에스키모가 살고있는
북극지방 모습인듯하다.

아침일찍 햇살을 쪼이며
율무와 산책하고
읍내 핸폰가게에 들려
고장난 좌판을 바로잡고선

비어있는 윗집에 들리니
눈이 밟히지않고
내린모습 그대로
하얗게 아름답다.

동물 발자국이 보이는데
너구리가 다녀간듯
떨어져 모아둔 은행알을
원없이 먹어치워
은행나무밑이 상쾌하다.

구린내나는 은행알이
동물먹이로 제격인듯...

자연은 주고받으며
상태를 보존한듯 싶다.

입춘이 손꼽히니
불원간에
비가 내리면
쌓인눈은
스스로 물이 될것이고
일삼아 눈치우는 노력은
할 필요가 없을성싶다.

사자모습

율무의 머리가
무서운 맹수인
사자처럼 보인다.

눈이 보이는곳에 가슴을
비비면서 시원함을
느끼는 모습이다.

추위에 실내에서 함께
움직이다보니
더운곳을 피해
화장실 바닥이나 시원한
여기저기를 찾더니,

바깥에 나가면
눈위에 앉아서 폼잡는다.
더부룩한 털이
솜이불을 두른듯 ...갑갑한가?

계단을 빠르게 오르내리는
속도하며

목표물을 향해 쏜살같이
움직이는
튼튼한 율무를 보면
나와 비교되며
많이 부럽다.

아침햇살 쪼이며
무량사로 걷는일이
일과처럼 자리잡는 요즘이다.
서울간 그분이 오늘은
온다니...

율무녀석이 얼마나
반길건지..?
많이 궁금하다.

Part 2

봄이

피어났어요

해뜨는 아침

금강변을 바라보니
눈쌀 부시도록
아름다운 멋스러움이 있다.

멀리 계룡산자락으로
안개는 스며들고
구름을 헤치며 쏘아대는
태양빛이 맑은 아침을 보인다.

학(鶴)나래교를 가로지르며
출근차량이 움직이는
2월 첫날이 시작된다.
입춘(立春)이 4일이고
정월 대보름이 5일이니

세월은 쉼없이 가고있는
모습이다.
오전중에 뒷짐진모습으로
여기저기 움직였더니
7천보를 넘겼다.

추위는 걷힌듯싶으나
봄을 느끼기엔
아직은 어설퍼서
내 모습이
두툼한 옷차림이다.

저녁엔
소문난 순대 맛집으로
예약되었으니
아들과함께 즐거운시간
가져야겠다.

먹는재미가
재미중 으뜸이라
누군가가 들먹였던듯 싶다.
에헤라 듸여...다.

세종시 외곽 부강면

3대째 이어오는
소문난맛집
부강옥을 다녀왔다.

식사손님 술손님
여자손님 혼밥손님등
다양한 손님들이
먹거리를
즐기려 승용차로 달려온
모습이다.

해넘이가 시작되는 싯점에
내비게이션 안내로
아들의 음식파트너로
식당에 도착되니
손님 차량이 눈에띄게 많다.

실개천이 졸졸흐르고
논두렁이
여기저기 보이며
도로 너머로 소나무숲이

울창하게 우거져
경관이 제법 좋은곳이다.

세종에서 남청주쪽으로
꽃동네대학이
머지않은곳에
맛이 환상적인 부강옥이
보인다.

수육이며 국밥등
다양한메뉴가
준비되어 있어
선택적으로 즐길수있었다.
식사겸 국밥에 쏘주를
몇잔 들이키니

그 맛이 환상적이다.
친구들이 가까이 있다면
자주 가고싶은 맛집이다.
순대를 입에 넣는대로
녹아서 넘어가는 수준이다.

음식점이 소문나고
맛으로 승부하는집은
그 장소가 다소 멀더라도
차량이동이 쉬운세상이라
번성하는 현장을 보게된다.

오랫만에

율무와 동네앞을 거쳐서
미호강(美湖江) 주변을 걷는다.

율무는
오랫만에 명찰을 목에걸고
전화 연락처까지 품었으니
학교에 입학한
신입생 모습이다.

주인과 의사소통하고
본인의 의견을 주인에게
알리면서
이따금씩 심통도 부리는
멋쟁이 녀석이다.

땅바닥에 물고인곳이
보이면
그냥 깔고 뭉개는
나쁜 습관도 있으나,

시원함에 쾌감을 느끼는

너만의 모습일수도 있겠다
받아들이고...
목욕시키는 일과를
추가하고만다.

미호강 푸른 물줄기,
높아보이는 짙푸른 하늘,
멀리 보이는 산등성이,
어우러진 미호강 주변이다.

강변 조용한곳에
캠핑족이 텐트를 치고
오리떼가 모이는곳에서
낚시를 즐길 태세다.

엘피지(Lpg)가스통까지
설치한걸보니
여러날을 버틸듯도 싶다.
년 월차나 휴가를 즐기는지
실직하고 세월을 보내는지...

동네한바퀴 돌고 또돌아
입춘(立春)을 마주하는 오늘을
보내니
춥고 더웁고는 아예없고
걷기에 딱좋은 하루다.

입춘이 되어

24절기중 가장 기다려지는 날
오늘이 입춘(立春)이다.
봄이 시작되니 추위는
곳바이 할성도 싶다만...
아침공기는 아직도 쌀쌀하다.

대한(大寒)을 정점으로
추위가 걷혀가며 봄맞이용
버들강아지가 강변에서
솟아오르는 날...

입춘대길 건양다경(立春大吉, 建陽多慶)
국태민안을 뇌이면서
뭔가를 기원하는...듯
무량사로 모여드는 많은
차량이 보인다.
오늘은 좋은날이다.

무량사 묵원스님의
낭랑한 염불소리가
확성기 스피커를 타고

듣는 나에게 희망을 주는듯

깊은의미는 못알아듣지만
입춘일에 뭔가를
기원하는 모양새 인듯하다.
^^나무아미 타불...^^

산불조심 입산금지를
현수막으로 걸어두고
봄을 대비하는 농삿꾼들을
단속하는
산림청 모습도 보인다.

하필이면 우리집 울타리에
허가도없이 ...
공무원들이 자유분방한
환경훼손 현장모습이다.
아마도 이장단이... 했을듯싶다.

정월 대보름에
쥐불놀이며 깡통 돌리기로
보리밭 짓밟던 ...
어린시절 내모습은
허리 꾸부정한 동네노인으로
둔갑되었다.

미호강(美湖川)가든 ...

마을 들판에 세워진
백반 전문식당이 오늘
개업한다.
메기탕 오리요리 닭볶음으로
입맛을 다시게할듯하다.

유기농 야채를 재배하며
음식을 조리하니
그 맛은 짐작이된다.
전국의 좋은 식재료가
많이 조달되니
가까이서 건강을 찾고싶다.

오늘은 개업식에
초대 되었다.
마을의 잔칫날이
오늘인가...싶다.

정월 대보름

찐서리가 하얗게...
나무위며 논두렁위 풀밭을
덮고있다.
정월 대보름이 오늘이니
둥근달이 보일듯싶다.

오곡밥과 나물반찬
준비하고
부럼 깨물며 동네를
돌고돌며...

더위팔고 깔깔대던
어린시절이 떠오른다.
...야!!
왜?
내더위 사 하면서
약올리며 도망가면

더위를 파는줄 알았었는데
지금와서 생각해보니
장난삼아 즐기던

보름날의 노리갯감,
더위를 사고팔수는 없을듯.

어제부터
인근 천문대 마당엔
캠핑차량이 몰려들고
꼬마애들이 운동장에서
공놀이하며
봄이 왔음을 보여준다.

메주를 말려
장 된장 고추장을
준비하고
퇴비를 예약하며 농사를
준비하는 시골모습도
시작된다.

땅을 밀어내며
냉이가 솟아나니
빈 밭에 쪼그려앉아
봄내음을 맡아본다.

추위가 너무심해
꽁꽁 얼었던 대지가
서서히 풀려가는모습이
내 발길에서 보여온다.

기후변화가 유달리 심했던
추위속의 겨울이
기름값깨나 쏘아대며
어렵게 어렵게 살아간다.

물가까지 세상을 뒤집으니
서민들 삶은 갈수록
힘든거같다.
젊은시절의 내가
2천만원에 둔촌동 아파트
34평 주인이었는데
요즘은 2십억이라니...?

100배로 뒤집어졌다.
그만큼
물가가 올랐는지..?
집값만 요동 치는지?
무량사를 돌고돌아 ...
오늘이 시작된다.

하얀 서릿발이

유난히 눈에띄는 아침
저멀리 산쪽으로
안개처럼 뿌연 하늘이다.

대보름이 지나
큰 명절은 모두가
간것처럼
다소 서운하기도 하다.

눈치를 살피며
운동가기를 소망하는
율무...
핑계대고 나선다.

두툼한 옷차림에 장갑까지
끼었더니
차갑게 느끼지는 않으나
기온은 영하를 가르킨다.

미호강 상류쪽
까만 오리가 떼지어

날으며 무지개처럼
모양을 그려댄다.
물속에 앉아서 먹이를
찾는 모습도 ... 보인다.

벼를 베고난후 논자락엔
볏날이 쏟아져 있는듯...
수백마리의 청둥오리가
몰려다니며
볍씨를 먹는것 같다.

미호강에선 물고기를
논바닥에선 볍씨를
오리떼의 먹이사냥으로
소두머니 주변이
최적지인듯 싶다.

자연은 자연에게
주고받으며 생계를 이어가니
세상살이 걱정일랑...
아예 없어도 되는듯,
동 식물의 주변에서
삶을 찾아본다.

8,494보 6.66km를
확보하며
나른한 오늘을 정리한다.

뿌연 하늘이

미세먼지를 잔뜩품은
탁한 모습이다.

아침 서리가
주변을 하얗게 물들인듯
차가운 날씨를 알려오지만
햇빛마져 꺾어놓은듯
탁한 하늘이 기분을
잡치게한다.

미호강(美湖江)상류에
강변쪽을 치우고
무료 낚시터가 낚싯꾼을
기다린다.
넓게 만들어진 낚시터엔
장작이며 탁자 의자가
나의 쉼터로 돌변한다.

경사진 언덕을
조심스럽게 내려서니
꽁꽁 얼어붙은 물줄기가

눈에 띈다.
물이 풀려야 낚시는
가능할듯 싶은곳이다.

개인택시 기사들이
이따금씩 낚시를 즐기던
소문난 낚싯터다.
날이 더 풀리면
이자리는 내가 앉아서
쉴수도 없을것같다.

어제 보이던
청둥오리는 오늘도
떼지어 물줄기를 흐른다.
공항에서 비행기가 이륙하듯
물줄기를 차고오르는

청둥오리 날으는 모습이
혼자 보기엔
너무 아깝다.
시골사는 나에게만
오리떼가 선물한다.

벼이삭은 모두 먹었는지
오늘은
강변에서만 움직인다.
낚시꾼이 잡아야하는

고기떼가
청둥오리 먹이인것 같다.

돌고돌아 동네한바퀴
뒷짐지고 걷다보면
어제의 움직임만큼
오늘도
해낼듯싶다.

율무야..!!
오늘도 고맙구나.
네덕에 움직였다.

대지진

동녘하늘에 떠있는 태양
대보름에 구름속에서
뿌옇게 떠오르는
달 모습이다.

미세먼지에 가려진채
태양의 구실을 못하고
하얗게 덮고있는
서리마져 녹이질 못한다.
여기저기 나무위에
하얀 서리가 넘실댄다.

튀르키예에선
진도 7.6의 대지진이 발생
아수라장이 되어버린채
가족을 잃고
헤매는 모습이 뉴스를
타고흐른다.

우크라이나에선
러시아의 포격에 도시가

망가지고 산업시절이
뭉개진체 전 세계 경제가
휘청거리고 있다.

내가 사는 우리나라에선
검찰과 경찰이
하루도 빠지지않고
이재명, 조국을 조사한다고
난리법석으로 뉴스판을
장식하고...

티브이 채널을 돌리면
어마어마한 상금을 걸고
트로트 가수를 선발한다고
전국민을 가수로 등장시킬듯
생 난리를 치는가하면

온통 노래판이 되어버린
티브이 프로가
놀고 돈버는듯 비쳐지고있는
사회의 모습이
너무나 한심스럽다.

해도 너무한다.
성악가 아나운서 대학생
코흘리개를 막 벗어난
어린이들...

남녀간에 구분이없다.
트로트에 메달리니
뭔가 이상스럽다.

열심히 일하고
틈틈이 즐거워하는
예능이면 좋으련만...
시대에 뒤떨어진
내 생각인가..?

세상을 넓게보고
힘든 곳을 살피면서
조심스럽게 움직이는 사회
그런 세상이 보고싶다.

낑낑대며...
운동한답시고
율무를
따라다니고있는 내모습,
많이 힘들다.

코로나19

4년여의 기나긴세월
전 세계인을 꽁꽁 묶어둔
대단한 전염병인듯싶다.

몸에 병이 들어서면
주변모두 옮겨붙는 지독한
악성 전염병이라...
많이 웅크리고 지냈다.

상가집은 물론
결혼 예식마져 제한받았으니
손님으로 방문객으로
조의나 축의마져 제한 받았다.

요즘은
마스크도 풀리고
코로나를 독감 정도로
받아 넘기다보니...
친구의 모친상에 서울의
대형병원 장례식장을 들려온다.

단톡방을 통한
조의금 전달이 계좌로
직행하는 편리한 세상이긴
하지만
어쩐지 방문해야만
내마음이 편할성싶어

움직였다.
세종 한솔동에서
시내버스로 움직이며
조치원역까지 가다 서다를
한시간여...

길목을 익히고
주변을 살피며 역(驛)사에 도착
입석으로 할인표를 사들고
4호차에 들어서니
지하철 좌석처럼 앉을수가
있으니...
어쩐지 횡재한 기분이다.

경로할인 입석할인이니
좋은 나라 좋은세상인듯
잠시나마 착각속에
즐거움이 와닿는다.

탐진회 회장 부회장과

함께하면서
친구인 상주와 많은애기를
주고 받았다.

95세까지 장수하시면서
10여년 전부터
노인 요양시설에 계셨고
온가족이 효심을 ...
다 해왔슴을 나는안다.

55년전에 아버지
28년전에 어머니를
떠나보낸 나로서는
잘 해드리지 못한
그시절이 서러울뿐이다.

나이께나 채워진
지금이라면
부모님께 아들노릇을
잘 할수 있을것만 같아진다.

후회한들...뭐할소냐?

희수를 맞아

77년전 오늘
음력으로 생일을 마련
세상을 향해 ...
내가선다.
그날을 양력으로 환산

생일을 지내고 있는데
오늘은
77년전 그날과
양력생일과 음력이
완전히 일치한다.

지구와 달이
공전과 자전을 헤아리며
돌고돌아 일치하는
그런 날인가보다
많이 신기하다.

아들 딸 며느리...
손자 손녀모두가
축하 메시지를 선물과

함께 전해오니
그냥 싱글벙글 웃는 하루다.

미역국으로
싱싱한 회로
발렌타인 고급양주로
즐거움을 느끼다보니

많은 생각이
솟구쳐 오른다.
눈도 귀도 치아도
좋았던 시절에서 많이
차별화 되어가더니,

하필이면 오늘
인플란트
시술로
치과에서 시간을 보냈다.
늙어감을 잡을수는 없다.

내가 잘살아 온것인지..?
축하해준 여러분
너무 너무
감사하고 고맙습니다.
사랑합니다.

사는곳 충청엔

몹씨
웅크린 하늘이다.
남쪽지방엔 홍매화가
번뜩이고
남해안 기슭엔 동백이
꽃 피운다는데...

사는곳 충청엔
꽃소식은 아예없다.
소나무 푸른가지만
약간씩 물오른듯
싱싱함이 더해보인다.

눈이 올듯 비가 올듯
구름낀 하늘이
몹씨도 음산하다.
봄이 시작되더니
내일이면 우수(雨水)다.

꽁꽁 얼었던 땅
비맞고 풀리게되면

농촌은 바빠지고
이곳저곳 손보면서
씨뿌릴 준비를 해야만한다.

밭두렁에 세워놓은
퇴비쌓인 모습이
봄을 알리는 시골모습이다.
보름후면 개구리가
솟아나는 경칩이니,

세월감은 여전히 쉼없는
상태로다.

율무야
네가 보채는 통에
무량사 앞뜰을 내가
걷게되는구나.
묵원스님의 목탁울리는
염불소리에
오늘도 행복을...
기원한다.

평균수명

조선시대
우리의 평균수명은
40대 중반이었고
살기가 불편한 아프리카쪽
원주민의 현재 삶이

우리의 조선조
평균수명에 이른걸보면
우리의
문명 발달 수준이
아마도 200년쯤
앞선듯 싶다.

내가
최근에 희수연(喜壽宴)을 겪었으니
환갑을 삶의 목표로
직장을 명퇴하고
시골로 내려선 57살,
숫자가 엄청 신기해보인다.

환갑 진갑에 칠순까지

지내면서
희수연(喜壽宴)까지 맞으면서
7이라는 숫자를 겹쳐도봤다.

3년 후면 산수(傘壽)가 되고
그로부터
8년이 지나면
미수(米壽)로 8이겹치는 88이다.

백세시대를 노랫가락으로
읊어대며
99살이되면 백수(白壽)라며
큰 잔치를 벌이는데...

그 시간을 맞이하는
숫자는
극히 드문것 같다.
내가
백수를 맞이하는 것은
달나라 여행가는
우주인(宇宙人) 수준이다.

희수에서 백수까지는
22년이 소요된다.
건강을 유지하며
행복을 누리다가
밤새안녕을 고한다면...

더없이 멋있는
세상살이 일듯 하다.
푸르고 맑은하늘이
소나무 뒷쪽으로 보인다.

봄스러운
맑음이 올듯도하다.

강변을 걷다보니

갈대 우거진 물가쪽에
참새떼가 움직인다.
풀씨가 먹이인듯...

떼지어 먹이사냥하는
모습이다.
먹거리 찾는 부지런함이
인간의 삶과 많이
흡사하다.

봄이 깊어가지만
바깥 기온은 여전히
차갑다.

목련이
꽃망울을 움티우고
매화도 몽글대며
꽃모습을
쉽게 보일듯하다.

오랫만에

평지를 걷지만...
자연스럽게 걸었던
예전의
모습은 아닌듯싶다.

10,751보 7.82km로
오늘을 채운다.

동네 한바퀴

역사물로 후고구려
에꾸눈 궁예역의
김영철씨가 kbs에서

전국의 곳곳을 돌아보며
세상사는 모습을
보여주던 정다운 프로그램,
지금은 천하장사 출신
이만기 교수가 진행한다.

시골사는 내모습도
마을을 돌고돌아
농사짓는 이모저모를
동네한바퀴 돌면서
기록한다.

보라색 이쁜 리본으로
멋을 부린 율무와
따박따박 걷는다.
평지를 걷지만 발바닥이
많이 힘들어한다.

피부가 굳어가는지...
몸관리를 해나가지만
건조한 발바닥이
걷기에 고통스럽다.

눈에 치아에 이젠
발바닥까지...
어쩔수없는 노화현상
받아들이지만 많이 슬프다.

고향에 친척이
88세 미수(米壽)로 생을
마감하셨다는 부고가뜬다.
와서 가는길이
인생길이지만...

생전의 모습을 상상하니
많이 슬퍼진다.
최선을 다하시면서
큰병없이 사셨는데...
좋은곳에서 편히 쉬세요.

가족묘 공사때는
함께하며 힘을 주셨는데
많이 아쉽다.
호상인듯 하지만...?

시골시댁을 방문한
도시며느리가 냉이를 캐고
농사철을 대비한
퇴비쌓임에 힘쓰는 모습의
노(老)부부를 살피면서

시뻘건
해넘이 모습에
잠시 멈춰서서 찰칵,
너무나 찬연하다.

10,771보 8.52km로
동네한바퀴를
마감한다.
율무야..!
많이 힘들지?

마을 둘레길

28일로 2월이
끝난다.
어느새 2달째 넘어가는데
여전히 봄느낌은
완전하지 않다.

진천으로 돌아와서
마을 둘레길을
뒷짐지고 걷는다.
여전히 노인모습이다.

냉이캐는 부녀회원과
봄 먹거리 들먹이며
단백질을
충분히 섭취해야만
체력이 보충된다며

고기 우유 달걀을
들먹여준다.
몸단속을 ...해야하니
신경 잔뜩쓰며 관리에

더 더욱 이어야 하겠다.

미호강(美湖江)이 나타나니
논자락에 앉아있던
청둥오리가 떼지어 날아
오른다.
파란하늘에 새까만
점선이 보인다.

하천 정비사업차
중장비가 움직이니
미호강 주변도 정비되는가
싶다.

마을회관에 들려
커피한잔 들이키며
노인흉내를 내본다만
아무도 없는 시골모습이
너무도 적적하다.

7,537보 6.82km
오랫만에 걷는다.
많이 힘든 모습이다.

Part 3

코로나의

끝이 보이네요

미호강변 따라서

소두머니 쉼터까지
산책로를 걷다보니
봄바람이 제법 날린다.

공기의 저항은
상당히 센거 같지만
봄녘바람이라서 추위는
못느낀다.

청둥오리 참새떼 백로가
서성이고...
파란 강물이 추위에서
깨어난듯 짓푸르게
와닿는 3월..

계절은 왔지만
봄맞이 꽃은
아직도 모습이 없다.

율무를 앞세우고
힘차게 걷고싶다만

어색한 몸뚱이가
율무와 나란히 하기엔
어쩐지 ...
내가 많이 딸린다.

눈에 보이는 일거리가
봄과함께 와 있지만
멀리만 하고싶은
시골사는 내모습이다.

편하고만 싶어진다.
11,267보 8.08km를
걸었으니
오늘을 마무리...하자.

결혼기념일

48년전 오늘
조세의 날인데...
전주 봉례원 예식장에서
결혼식을 올렸다.

검은머리 파뿌리 되도록
오래 오래 살라는
주례선생님 말씀따라
내후년엔 금혼식을
맞게된다.

2남1녀의 다복한
가정을 꾸리고
다니던 직장도 명예롭게
은퇴하고...
최선을 다해 살아왔다.

시골로 내려선지도
21년차에 이르지만...
성한데가 없는 내몸,
꾸준히 운동하며 유지하려 애쓴다.

오늘은 삼겹살 데이(day)로
호칭되는 3이 겹치는날,
삼겹살이라도 구워놓고
즐겨야 할듯하다.

눈치빠른 아들이
내일은 청송 유황온천에
나들이를 약속했다.
결혼 축하 기념일을
챙겨준다 생각하고,

뜨뜻한 온천물에
몸을 담글예정이다.
개구리가 눈뜨고 나타나는
경칩(驚蟄)이 임박했다.

동식물이 요동치는
봄이 왔으니
노오란 산수유며
진달래 버들치가 요란떨며
눈에띄는
새로운 나날이
전개되리라 믿는다.

경북 청송

소노벨리 리조트
유황온천으로 소문난곳
아들 딸과 함께 여행한다.

세종에서 2시간
가능한
모든속도를 내면서
달리면서 과속촬영을
피하느라 신경께나
쓰면서...조마조마

청송에 가까와지니
길거리 여기저기
사과 이정표다.
사과모습으로 청송이
도배된듯 싶다.

주왕산이 보이더니
산자락이 온통 바윗덩이다.
안개낀 아침모습도
구름위로 우뚝솟은

바위가 눈에띄니

주왕산의 유명도가
새삼스럽게 느껴진다.
유황온천에 이르니
많은 사람이 순서를
기다린다.

노천탕 온수탕 열탕을
오가면서 온몸을 녹였더니
피로가 풀리고
내몸이 개운해진다.

입장료가 제법되니
일반 목욕탕과는 차별화된
온천임을 알게된다.

대명 콘도가 온천이
솟아나는 곳에 세워져
돈깨나 모으는것 같다.

모든것이 너무 비싸지만
편의점 계산석은
바쁘게 움직이며
운동을 가름해도
체력이 길러지는
그런 모습이다.

엄청 바쁘다.

새벽산책길에
주변을 돌았더니
한옥으로 조선 시대를
재현시켜서
대감집 생원집의
대문이 걸려있고

백자를 굽는
가마터며
백자의 멋진모습도
구경할수가 있다.

리조트 주변을
활성화 시켜두니
관광코스로 한몫한듯
자치단체의 공이
대단하다.

사과 바위 한옥
온천을 새기면서
같이해준 아들 딸에게
고마움을 전한다.

경칩

경칩(驚蟄)인 오늘,
땅속에 묻힌 개구리가
밀고 나온다는데...
집에만 있을수없어
나도
강변(江邊)을 걷는다.

바람의 부딪힘은
고속도로를 지나는
차량소음과 합세한듯
제법 시끄럽지만
포근한 날씨의 봄이다.

햇빛 쪼이는 강변에
속도를 기르려는듯
4명의 운동선수가
속도를 내며 달려간다.
왕복해서 계속 움직인다.

건강미 넘치는
젊은 모습이

한없이 부럽다.
젊음은 삶의 자산이요
건강은 인생의 보물임을
거듭 느낄수가 있다.

온천을 다녀오고
맛있는걸 아무리 먹어도
내몸이 성하지 않으면
어느것도
나에게 도움되질 않는다.

근육을 키우고
심폐기능을 넓히려
유산소 운동
이어가지 않으면
어쩐지 어설프다.

스스로에게 강요하며
쉼없이 움직일때
내가 지켜짐을
다시 또다시 다짐한다.
힘들면 쉬면서...
계속 걷는거다.

8,513보 7.62km
오후에 확보한 운동량
해낸 보람을 너에게 자랑한다.

매화

하얀꽃 매화(梅化)가
보인다.
콧속으로 스며오는
꽃향기를 따르니...
향기 가득품은 매화(梅化)가
눈에 띈다.

봄인가 하면서도
꽃을 볼수 없더니
오늘에야 봄임을 느끼는
그 향기를 맛본다.

콧잔등을 들이대며
봄내음을 가득 담으려
무진 애를 써본다만...
아직은
사르르 뿌리는 수준

해넘이 풍경을
아파트 사이로 바라보며
파란 하늘로 치솟은

나무끝을 바라보려
길게 길게 내몸을
곧두세운다.

산자락에 아파트
솟아오른 소나무숲에
내눈을 고정시키고
흐르는 금강물을 세종보에서
바라본다.

물에는 오리떼가
떼지어 움직이니
미호강(美湖江) 주변의 청둥오리
모습이 그리워진다.

여기저기 볼일보러
움직였더니
8,524보 6.37km가
확보된다.

가로등이 들어오니
밤이...로구나.

강변따라 걷는중에

파크 골프장 인조잔디를
아우른다.
느끼는 쿳션이 콘크리트
도로와는 너무다르다.

강변 도로의 풀섶엔
보라색 들꽃도 보이고
파릇 파릇
쑥도 솟아오른다.
봄이 많이 깊어진듯...

금강을 바라보며
참샘에 들려
쉬지않고 솟아오르는
옹달샘 물흐름에
멍 때리며 바라본다.

참샘정 정자에 누워
소나무에서 방산(放散)되는
피톤치트 산림욕에,
조용히 숨쉬면서

힘든걷기를 정리한다.

멍석깔아 정리된
한솔산 둘레길에서
쉬다 걷다를 반복하니,
눈 귀가 맑아지는듯...
땅에서 움직이는
개미모습도 보인다.

한솔정에서 금강을
바라보며
고운모습을 찰칵...담고

노오란 산수유가 봄을
깨우는곳
매화향까지 곁들이는
단지내 공원모습도
내맘을 채워준다.

등받이 벤치에서 마지막
쉼을 찾는다.
8,543보 7.21km로
마감한다.
내일은 많이 바쁘다.

친구와 함께

늘
혼자서만 걷다가
친구와함께 걸으며
호수 주변에서
빠가사리 매운탕에
입맛을다신다.

매화(梅花)향 마시며
산수유 노란꽃에
눈높이 맞춰,
멀리보이는 금강물에
가슴을 열어 제친다.

좌측 우측에
멋쟁이 친구들을
어깨높이로 맞추다보니
어린시절의 내모습도
눈에 선하다.

시골에서만 살고있는
친구를 살피느라

힘든 걸음을 옮겨준
고마운 친구들이다.

세종 수목원주변
산기슭에 자리잡은 까페
겨우 들어섰더니
손님은 오직 우리뿐이다.

길가에 세워진 이정표를
따르다보니
전망좋은 까페를
가게된다.
좁은길을 운전하느라
많이 힘들었다

말벌주(酒)며 보약주(酒)로
주변을 장식해두고
한잔에 만원...
음침한맛에
젊은이들 데이트에도
적격인듯 싶은 까페다.

국내에 유일한
금강 보행교,
세종대왕이 한글반포한
1,446년을 기념하여

길이를 1,446m로
설계했다니
세종대왕과 한글을
금강보행교가 기억한다.

맑고 깨끗한날
살아가는 우리들 얘기로
하루를 꽃피우며
금강 보행교를 한바퀴,
가슴 벅찬 하루다.

일정이 겹쳐서
함께하지 못한 친구들
다소 서운하지만
다음으로 기약하자.

9,765보 7.62km를
계속 얘기하며
멋진하루를 마감한다.
친구들아
고맙다.

봄비가 내린다

마른땅에 빗물이
스며들어야 소생가능하다.
가뭄에 고통스럽던
농민들이 환호한다.

아침일찍
축사 지붕이 요란스럽다.
두들기는 빗소리에
커튼을 제끼며
하늘을 향해 감사한다.
마당에 빗물이 고인다.

어제심은 감자와
울타리 콩이
너무 좋아할거라고
옆지기가 웃는다.
제때에 심은거 같다고...

구름낀 하늘이,
기상예보된 빗줄기를
오늘 종일 쏟아낸다면

너무 좋을듯...싶다만,
흡족하지는 않을것같다.

잡초는
비닐을 걷어낸 밭자락에
사정없이 올라선다.
벌써 푸른빛이 보인다.
보기만해도 나는 지친다.

풀에게서
내가 자유로우면
시골이 살만한데...?
최선을 다하면서
부딪힐수밖엔 도리가없다.

비오는 날
잡초가 걱정스러운
게으른 ...모습이
알려질까 두렵다만
현실이다.ㅎㅎ

선암사

진천에서
오전 9시 동생차에
탑승하고 중부 경부 호남
고속도로를 달리며
봉동에서 장수를 향해
달렸다.

마이산 휴게소를 만나
뿔처럼 솟아오른
마이산 암수 봉우리를
바라보니...
젊은시절의 내모습이
새삼스럽다.

장수에서 대진고속도로쪽
지리산 줄기를 거치며
함안을 경유
순천 송광사를 바라보며
조계산자락 선암사(仙巖寺)로
달려간다

선암사하면
봄의 끝자락에 선암매(仙巖梅)가
소문이 왕성한곳이다
사리를 모셔둔 산자락을
걸어가며 돌로 둥글게만든
보물다리도 사진에
담아둔다

맑은 계곡물소리며
아름다운 조계산 풍경이
많은 관광객을 맞으며
사찰 대웅전 뒤쪽에 숨은
선암매의 아름다운
꽃망울이

짙은 매화향기 속에서
내 코를 시원하게한다.
통일 신라시대에
사찰이 세워진 역사깊은
그곳...
선암사의 모든것이
으늘을 보내는 나를
압도한다.

강진쪽으로 내려서며
대하소설 태백산맥
저자 조정래의 산책로에

들어서니
벌교 꼬막거리가 나타난다.

꼬막맛을 입에 담으며
소문난 그맛을 찾지못한체
강진 칠량 청자식당
반지락맛을 입맛다신다.

3.3.토정행사
코로나로 4년만에
친척들을 만나며
조상님을 기리는 가족행사

후손으로
태어나게 해주신
조상님들께 감사하는
마음으로 정성을 모으려
서울 부산 경기 세종
곳곳에서 후손들이 모인다.

안부묻고
얼굴익히며 대를 물려가며
뿌리를 내려간다.
내고향 그곳에서
즐거움을 함께한다.

내나이가 최고령이니

마음이 ... 슬플뿐이다.
하지만 여행도 겸해서
즐거움을 쌓기도 해본다.
8,876보 6.62km를
선암사 계곡에서 움직였다.

삼삼토정

5대조 할아버지
가족묘원이 조성된지
11년째 되는
3월3째주 주말에

후손들이 모여앉아
하룻밤 혹은 2일밤을
세우면서
조상을 들먹이고
우리들 삶을 돌아보며,

음식을 준비하여
먹고 마시며 삶을
살펴보는 행사다.
전국 각지에서 차량을
이동하며 정담을
나누면서

신세대의 변화된 삶을
느껴보기도 하고
나를 뒤돌아 다짐도한다.

산소에 모여

유세차... ♡♡ 를
현대식으로 조립하여
후손기별로 술을 올리고
인사드리며

희망사항을 조상님께
아뢰면서 소망을 기원한다.
종교를 초월하고
관습을 억지로 지키면서
내년을 약속한다.

회장단및 집행부를
재구성하고
젊은 세상으로 모습을
일신해보자 토의도 했다.

내 위치가 어느새
증조 할아버지로 ...
변해있다.
증손녀 하영이의
재롱속에 오늘행사는
너무도 여유로왔다.

시골의 내고향
이곳저곳을 살피며

아쉬움을 남긴채...
시앙 끄렁지 나눠서
살던곳으로 움직인다.

행복한 오늘이다.

노오란 복수초

추위를 이겨내고
네가 나타나는구나.

한 겨울
그 추위...
몹시 힘들었어도
아름다움을 전해주려
힘을 내는모습이다.

나무위에 하얀색꽃
매실 열매 준비하고,
신선한 향기 주는
진천의 천연기념물
미선나무는
꽃단장을 하고있다.

오전중에
밭고랑에 엎드려
쇠시랑질 해봤더니
비닐 덮으면서
낑낑대는

여인이 나타난다.

상추며 풋고추 오이
가지 심어놓고
싱싱한 먹거리로
몸단속을 하려한다.

산자락 둘러보니
진하디 진한
꽃내음속에
하얀 매화가
요란스럽게 피고있다.

산수유와 개나리는
노란색 저고리로
봄바람 쏘이며
움직인다.

겨울에
노지에서 자라난 쪽파
파묻힘이 최상인
오늘의 먹거리로다.

나무 심기

식목일이 다가오기전
유실수및 식목에 필요한
나무및 꽃을 준비한다.

해마다 하는 행사...
금년에는 작년에 식수한
편백나무중
자리잡지못한 부분을
충당하고

쬬코베리 과실수를
입구쪽
밭으로 이식했으니,
쬬코가 자라던곳에
아름다운
꽃을 심을예정이다.

아침일찍 기상하여
어제 도착한 편백과
물통을 차에싣고
율무와 나선다.

무량사 뒷밭에서
나무심고 풀제거용
포장을 덮으며,
엄청힘든 하루를 보낸다.

숨쉬기가 유달리 힘들고
허리며 어깨쭉지가
5분간격으로
쉼을요구한다.

꽤나 힘쓰던 나였는데
너무 변한 내모습에
꾀병부리는 모습처럼
안타깝다.

노동하며 사는시골이
노동력이 제로되니
숨쉬기만 해야할듯...
아무리 반성해도
이유를 달수가없다.

힘든하루였다.
지금이 딱
18시 ...어두워진다.

비가 내린다

봄비가 소롯이
땅 적시려 내린다.

어제심은 편백이
땅에서 힘받을만큼
고마운 비가 내린다.
물안개낀 산자락이
오늘따라 정겹다.

모래바람 일으키며
중국쪽에서 황사가
온다는데...
미세먼지 너마저도
봄 비속에 숨는구나.

흑산도하면
홍어...가, 생각나고
이미자의 흑산도 아가씨
노랫가락이 이어진다.

홍어를 두고

전라도를 비하하며
빈정대는 인간들도 있지만

콜라겐 덩어리의 홍어코며
기가 막힌 홍어애는
기름소금에 묻혀서
쐐주한잔...캬 !!!

그맛을 알기나 하며
삭힌 홍어로
비하하는 거냐?

값이 저렴하여
식목기념으로 통째로
페루산이 아닌
진짜 흑산 홍어 암치를
준비했다.

해부도를 들여다보며
온갖 고생속에
애 코 살점을 도려내
소금에 절이며
옆지기 고생을 너무 시켰다.

쑥캐고 미나리 준비하면
탕으로 등장하리라.
그 맛을 상상하며...ㅎㅎ

진달래

한여름처럼
더위가 다가서더니
주위의 꽃들이
꽃피우는 서열을 버렸다.

산등성이 여기저기엔
연분홍 진달래가
줄지어 보이고

언덕배기 비탈진곳엔
샛노란 개나리가
눈부시게 아름답다.

미선나무 하얀꽃은
총총하게 꽃모음을
진행하고...
앞마당에선
작약이 솟아오른지
빨간순이 내눈을 마주친다.

세종엘 와봤더니

아파트 단지가
벚꽃으로 완전히 덮었다.

꽃향기는 아직인듯
상큼한 꽃내음이
풍겨오진 않고,
하얀꽃이 복스럽게
내눈을 즐겁게한다.

영하로 내려선 어젯밤엔
힘없는 목련꽃이
덩치에 부끄럽게
노란색으로 꽃잎이
바래있다.

서리맞은 꽃...목련,
쓰레기되어
땅바닥을
어지럽힐 것이다.

4월초에 보이던
벚꽃이
생각보다 빠르게
보인듯싶어,

금주엔 기어코
대청호 주변의

벚꽃마중을
나서야만 하겠다.

마음이 바쁘다.

부강쪽으로

금강을 따라 움직인다.
작년보다 빨리핀듯 ...
강변쪽으로 하얀꽃
벚꽃이 금강을 장식한다.

탄산수 목욕탕
약간 미끄러운 탄산수에
내몸 담그고,
뜨거운 찜질방에서
피곤한 내몸을 녹여내린다.

분위기는 다소
시골스럽지만...
뜨거운곳에서 찜질하고
온탕 냉탕을 들락거리니,

청송의 유황온천은
비교되지 않은
명품 탄산수 욕장이다.
가까운 주변에 있으니
단골 쉼터로 삼으리라.

나오는 길에
강변쪽 벚꽃을 따라
100년가게 부강옥에
들리니,
고급스럽고 맛깔스런
순대가...
소주병을 찾게된다.

운전하는 아들대신에
혼자서 들이키니
그맛이 ...
혼자먹어 미안스럽다.
약으로 다스리던 내몸이
어쩐지 개운한거만 같다.

단지내 벚꽃
여울목수변공원의
멋진 봄풍경
꽃으로 덮고있으니
시간내서 대청호쪽으로
가지 않아도 될성싶다.

도로변으로 공원쪽으로
벚꽃이 만개하니
주변이 모두 밝아진
기분이다.

흐르는 금강물도 더더욱
푸르게 보인다.

한바퀴 두바퀴
바퀴를 굴리듯이
여울목 수변공원에서
오늘을 식힌다.
너무 기쁜 하루다.

여울목 수변공원

집앞에 펼쳐진 단지내
공원으로 하얀 벚꽃이
아침운동을 재촉한다.

잔디밭에 힢을깔고
호미질하는 아낙이 있다.
씀바귀를 캔다니...
맑은 공기속에 일거양득
먹거리까지 챙긴다.

젊고 힘찬사람은
모두 일터로 나서고
나이들어 불러주지않는
노인들만 움직인다.

걷다가 벤치에 앉고
쉬다가 다시걷고
빙빙 돌면서 곰곰히
생각한다.

수변공원을 돌다가

꽃길을 따르며
금강변 벚꽃을 산책한다.
3km이상을 하얀꽃이
나와함께 하고있다.

세월은 흐르고흘러
오늘이 1/4분기 3월말
어느덧 금년도 많이
지낸거같다.
청명 곡우를 넘기면
여름이 올것이니...

씨뿌리고 모종이식하는
바쁜시기가 눈앞에
와있다. 귀찮아도 해야만
할것이니 즐건맘으로
지내보자.

공직자 재산신고
수백억 수십억 평균이
십 수억하며...
재산규모를 밝히니
어마어마한 사람들 모습에
어안이 벙벙하다.

민주주의가 자리하니
있는자는 더 많아지고

없는자는 더 줄어들어...
불공평한 세상이
계속된다.
자본주의 세상이니
능력의 테두리이리라.

풀밭에는 노란민들레
민들레꽃에는 노랑색 나비떼
주고받으며 세상을
엮어가는 아름다운
자연의 모습이다.

자목련 붉으빛 꽃
날씨가 덥다보니
일찌감치 꽃을 주는
네 모습이구나.

벚꽃 천지

하얀꽃
봄에피는 길가에 벚꽃
빨리핀듯 하더니
어느새 땅바닥으로 날린다.

꽃구경 하면서
여러곳에서 잔치를
시작하는데...
벌써
꽃이 사그라든다.

일본의 국기는 태양이고
이글 거리는 욱일기는
힘을 자랑한듯하고

길가에 줄지어 피어난
벚꽃은 일본의 국화라는데
꽃의 생명력은 잠시지만
한꺼번에 피는모습은
단체를 부르짖는 대일본
모습이다.

국기와 국화는
선점하고 만든것이
맞는거 같은데...
우리 조상은 개화가 늦고
세상을 보는 안목이
너무 늦어선지...

태극기와 무궁화로
국기와 국화를
널리 자랑하기엔
많이 궁상스럽다.

깊은의미를 품고있는
태극기...
많은 내용을 숨기고있는
무궁화...

휘날리는 꽃
떨어지는 벚꽃을 바라보며
한가한 시간을 맞는다.

친일(親日)을 부르짖는
요즘의 이상한 나는
결코 아니다.
태극기와 무궁화를
사랑한다.

너무좋은 야생화
벚꽃에 내마음이 흔들린다.
꽃은 꽃이다.ㅎㅎ

축하의 글 I 삶의 의미를 찾아서

아들 오명기(의사, 세종 속 편한 내과 원장)

시란
세상에 대해 끊임없이 관심을 가지고, 치열한 사유를 했을 때 써질 수 있다고 생각합니다.
따라서, 시집을 낸다는 것은, 위의 필요충분조건을 이미 가졌다는 뜻인 것 같습니다.
인생 후반기에 지나온 인생을 돌아보시면서, 틈틈이 치열하게 사유(思惟)하신 결과물을 내신 것을 진심으로 축하드립니다.
건강이 좋지 않아 어쩔 수 없이 선택한 시골생활이지만 그곳에서 삶의 의미를 찾고 자연과 함께하며 사시는 부모님의 모습이 너무 보기 좋습니다.
세 자녀에게 아낌없이 지원해 주셔서 지금의 제 모습이 되었기에 감사드립니다.
부디 많은 사람과 좋은 내용 나누시길 바랍니다.
희수 맞이하심을 진심으로 축하드립니다.
늘 건강하시길 기도합니다.

축하의 글 II 나이도 질병도 이기고

큰 조카 오연자(일본 선교사)

호랑이는 죽어서 가죽을 남기고 사람은 죽어서 이름을 남긴다고 했습니다.
한 권의 책으로나마 큰 작은 아빠의 삶을 기록하게 되어 두고두고 추억할 수 있게 되어 행복합니다.
짧다고 하면 짧고 길다면 길 수 있는 인생을 살아갑니다. 그 삶 속에는 놓치고 싶지 않았던, 영원히 머무르고 싶었던 순간도 있었겠지요?
그러나 기록으로 남기지 않으면 희미해져 가는 기억 속에 잊힐 수밖에 없습니다.
서울에서의 삶을 정리하고 진천에서 제2의 삶을 살아가시면서 적어 내려간 일상(日常)이 이제는 책 속에 새겨진 글을 보며 돌이킬 수가 있게 되었네요.
나이에도 질병에도 지지 마시고 더욱더 노익장을 발휘하시며 즐겁고 행복한 하루하루가 되시길 소원하고 기도합니다.

편집자의 말　　희수를 맞은 희망의 봄이야기

귀농 시인 오석원 님은 30년이 넘게 국세 행정 전문가로 살다가 지병 때문에 아무 연고도 없지만 살기 좋은 생거진천 농다리 길로 20여 년 전 귀거래(歸去來)했다.
자연을 벗 삼고 맑은 물 좋은 공기 속에서 행복하게 살며 2남 1녀를 모두 성혼(成婚)시키고 의사, 약사, 공기업 임직원으로 이끌어 부모의 소임을 훌륭하게 감당했다.
삶에서 감사(感謝)를 잃지 않고 늘 깨끗한 사랑의 눈으로 보는 세상 이야기는 하루하루가 그대로 시가 되어 코로나19에 4계절 시집을 냈고, 코로나19를 마감하면서 희수를 맞은 귀농 시인(詩人)의 이야기를 담아 잔잔한 행복을 나누고자 시집(詩集)을 마련했다.
책으로 내도록 허락하고 도와주신 시인에게 감사드리며. 늘 건강하고 행복이 넘치길 소망한다.

2023년 4월에
진달래 출판사 대표 오태영(시인, 작가)